Messe Solennelle
(St. Cecilia)

Revised and Edited by
James A. Reilly

Kyrie

CHAS. GOUNOD

Copyright, MCMXIV, by McLaughlin & Reilly Co., Boston.

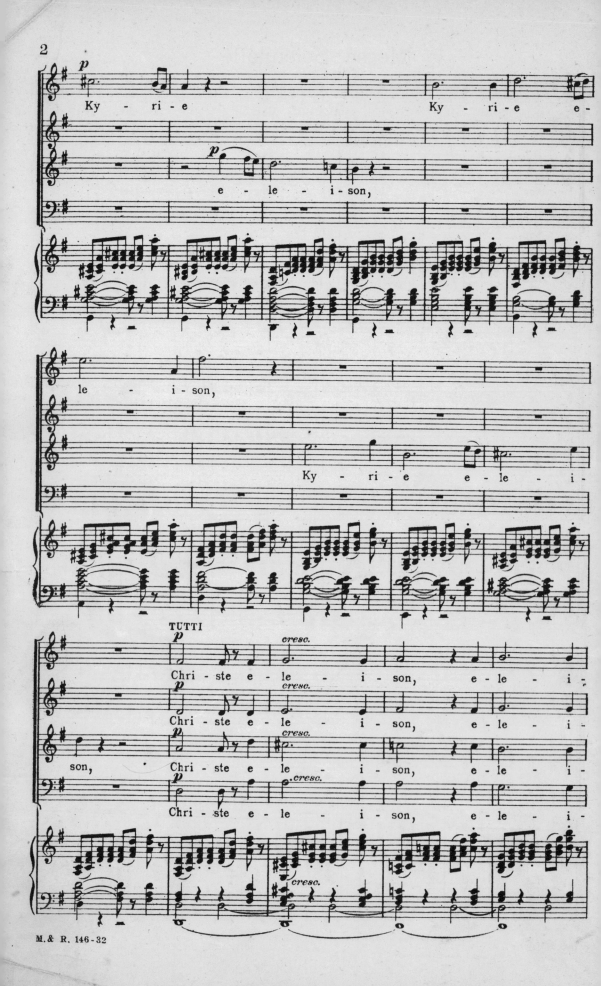

Gloria

Je - su Chri - ste. Do - mi - ne De - us,

A - gnus De - i, Fi - li - us, Fi - li - us

Pa - tris. Qui tol - lis, qui tol - lis pec -

ca - - ta mu - ndi, mi - se - re - no - bis,

mi - se - re - no - - bis.

Qui tol - lis, qui tol - lis pec -

Moderato molto maestoso

cum glo-ri-a, ju-di-ca-re vi-vos et mo-rtu-
cum glo-ri-a, ju-di-ca-re vi-vos et mo-rtu-
cum glo-ri-a, ju-di-ca-re vi-vos et mo-rtu-
cum glo-ri-a, ju-di-ca-re vi-vos et mo-rtu-

os; cu-jus re-gni non e-rit fi-nis. Et in___ Spi-ri-tum
os; cu-jus re-gni non e-rit fi-nis. Et in___ Spi-ri-tum
os; cu-jus re-gni non e-rit fi-nis. Et in___ Spi-ri-tum
os; cu-jus re-gni non e-rit fi-nis. Et in___ Spi-ri-tum

San - ctum, Do - mi-num, et vi - vi-fi-ca - ntem:
San - ctum, Do - mi-num, et vi - vi-fi-ca - ntem:
San - ctum, Do - mi-num, et vi - vi-fi-ca - ntem:
San - ctum, Do - mi-num, et vi - vi-fi-ca - ntem:

in re - mis - si - o - nem pec - ca - to - - rum.

in re - mis - si - o - nem pec - ca - to - - rum.

in re - mis - si - o - nem pec - ca - to - - rum.

in re - mis - si - nem pec - ca - to - - rum.

dim. molto

Et ex-spe-cto re-sur-re-cti-o-nem mo - rtu - o-rum. Et vi-tam ve-ntu-ri sæ - cu-

Et ex-spe-cto re-sur-re-cti-o-nem mo - rtu - o-rum. Et vi-tam ve-ntu-ri sæ - cu-

Et ex-spe-cto re-sur-re-cti-o-nem mo - rtu - o-rum. Et vi-tam ve-ntu-ri sæ - cu-

Et ex-spe-cto re-sur-re-cti-o-nem mo - rtu - o-rum. Et vi-tam ve-ntu-ri sæ - cu-

pp

li. A - men, A - men, A - men.

li. A - men, A - men, A - men.

li. A - men, A - men, A - men.

li. A - men, A - men, A - men.

cresc. ff

cresc. cresc. ff

Sanctus

Agnus Dei